1580242617

中华人民共和国国家标准

电气装置安装工程
串联电容器补偿装置施工及验收规范

Code for construction and acceptance of series capacitor installation electric equipment installation engineering

GB 51049-2014

主编部门：中 国 电 力 企 业 联 合 会
批准部门：中华人民共和国住房和城乡建设部
施行日期：2 0 1 5 年 8 月 1 日

中国计划出版社

2014 北 京

中华人民共和国国家标准
电气装置安装工程
串联电容器补偿装置施工及验收规范
GB 51049-2014

☆

中国计划出版社出版

网址:www.jhpress.com

地址:北京市西城区木樨地北里甲11号国宏大厦C座3层

邮政编码:100038 电话:(010)63906433(发行部)

新华书店北京发行所发行

三河富华印刷包装有限公司印刷

850mm×1168mm 1/32 1.375印张 31千字

2015年5月第1版 2015年5月第1次印刷

☆

统一书号:1580242·617

定价:12.00元

版权所有 侵权必究

侵权举报电话:(010) 63906404

如有印装质量问题,请寄本社出版部调换

中华人民共和国住房和城乡建设部公告

第 642 号

住房城乡建设部关于发布国家标准《电气装置安装工程 串联电容器补偿装置施工及验收规范》的公告

现批准《电气装置安装工程 串联电容器补偿装置施工及验收规范》为国家标准，编号为 GB 51049—2014，自 2015 年 8 月 1 日起实施。其中，第 3.0.11、4.4.5 条为强制性条文，必须严格执行。

本规范由我部标准定额研究所组织中国计划出版社出版发行。

中华人民共和国住房和城乡建设部
2014 年 12 月 2 日

前　言

本规范是根据住房城乡建设部《关于印发〈2012年工程建设标准规范制订修订计划〉的通知》（建标〔2012〕5号）的要求，由中国电力企业联合会和中国电力科学研究院会同有关单位共同编制而成。

本规范在编制过程中，编制组经广泛调查研究，认真总结实践经验，并广泛征求意见，多次讨论修改，最后经审查定稿。

本规范共分7章，主要技术内容包括：总则、术语、基本规定、串补平台、电气设备安装、可控串补相关设备的安装、工程交接验收。

本规范中以黑体字标志的条文为强制性条文，必须严格执行。

本规范由住房城乡建设部负责管理和对强制性条文的解释，由中国电力企业联合会负责日常管理，由中国电力科学研究院负责具体技术内容的解释。在本规范执行过程中，请各单位结合工程实践，认真总结经验，注意积累资料，如发现需要修改或补充之处，请将意见或建议寄送中国电力科学研究院（地址：北京市宣武区南滨河路33号，邮政编码：100055），以便今后修订时参考。

本规范主编单位、参编单位、主要起草人和主要审查人：

主 编 单 位：中国电力企业联合会

　　　　　　　中国电力科学研究院

参 编 单 位：国网智能电网研究院

　　　　　　　中国南方电网超高压输电公司

　　　　　　　葛洲坝集团电力有限责任公司

　　　　　　　黑龙江省送变电工程公司

　　　　　　　广西送变电工程公司

江苏送变电公司
安徽送变电工程公司
北京送变电公司
河南送变电工程公司

主要起草人： 董勤晓　刘之方　武英利　荆　津　秦　健
　　　　　　　田　晓　戴朝波　吴若婷　刘世华　张　航
　　　　　　　张　峙　徐　军　何　平　刘　军　时运瑞
主要审查人： 王进弘　欧小波　陈　凯　何冠恒　庞亚东
　　　　　　　张国玉　甄　刚　郑　立　马　勇　王广鹏
　　　　　　　梁　琮

目 次

1 总　则 ……………………………………………………（1）
2 术　语 ……………………………………………………（2）
3 基本规定 …………………………………………………（4）
4 串补平台 …………………………………………………（6）
 4.1 安装前检查 …………………………………………（6）
 4.2 串补平台绝缘子的安装与调整 ……………………（6）
 4.3 串补平台的组装 ……………………………………（7）
 4.4 串补平台的吊装与调整 ……………………………（7）
 4.5 串补平台附件的安装 ………………………………（8）
5 电气设备安装 ……………………………………………（9）
 5.1 一般规定 ……………………………………………（9）
 5.2 电容器 ………………………………………………（9）
 5.3 金属氧化物限压器 …………………………………（10）
 5.4 火花间隙 ……………………………………………（10）
 5.5 阻尼装置 ……………………………………………（10）
 5.6 光纤柱 ………………………………………………（11）
 5.7 电流互感器、旁路开关及隔离开关 ………………（11）
 5.8 控制保护系统 ………………………………………（11）
6 可控串补相关设备的安装 ………………………………（12）
 6.1 阀控电抗器 …………………………………………（12）
 6.2 晶闸管阀室 …………………………………………（12）
 6.3 分压器 ………………………………………………（12）
 6.4 水冷系统 ……………………………………………（12）
7 工程交接验收 ……………………………………………（15）

本规范用词说明 ……………………………………………（17）
引用标准名录 ……………………………………………（18）
附:条文说明 ……………………………………………（19）

Contents

1 General provisions ······································· (1)
2 Terms ·· (2)
3 Basic requirements ······································· (4)
4 SC platform ·· (6)
   4.1 Check before installation ························· (6)
   4.2 Installation and adjustment of insulator for SC
       platform ··· (6)
   4.3 Assemble of SC platform ························· (7)
   4.4 Hoisting and adsjustment of for SC platform ··············· (7)
   4.5 Installation of accessory for SC platform ····················· (8)
5 Electric equipment installation ······························· (9)
   5.1 General requirements ······························· (9)
   5.2 Capacitor ··· (9)
   5.3 Metal-oxide varistor ······························· (10)
   5.4 Spark gap ··· (10)
   5.5 Damping device ······································· (10)
   5.6 Optical fiber column ······························· (11)
   5.7 Current transformer, bypass switch and disconnector ······ (11)
   5.8 Control and protection system ··················· (11)
6 Equipment installation specific to TCSC ··················· (12)
   6.1 Thyristor-controlled reactor ······················· (12)
   6.2 Thyristor valve roon ································ (12)
   6.3 Voltage divider ······································· (12)
   6.4 Water cooling system ······························· (12)

7 Acceptance of SC project ··· (15)
Explanation of wording in this code ····························· (17)
List of quoted standards ··· (18)
Addition: Explanation of provisions ······························ (19)

1 总　　则

1.0.1 为保证串联电容器补偿装置安装工程的施工质量，促进安装技术进步，确保设备安全运行，制定本规范。

1.0.2 本规范适用于交流 220kV～750kV 电压等级的串联电容器补偿装置的施工及验收。

1.0.3 串联电容器补偿装置的施工及验收除应符合本规范规定外，尚应符合国家现行有关标准的规定。

2 术　　语

2.0.1 串联电容器补偿装置(SC)　series capacitor installation

串联在输电线路中,由电容器组及其保护、控制等设备组成的装置,简称串补装置或串补,可分为固定串联电容器补偿装置和晶闸管控制串联电容器补偿装置。

2.0.2 固定串联电容器补偿装置(FSC)　fixed series capacitor installation

将电容器串接于输电线路中,并配有旁路开关、隔离开关、串补平台、支撑绝缘子、控制保护系统等辅助设备的装置,简称固定串补。

2.0.3 晶闸管控制串联电容器补偿装置(TCSC)　thyristor controlled series capacitor installation

将并联有晶闸管阀及其电抗器的电容器串接于输电线路中,并配有旁路开关、隔离开关、串补平台、支撑绝缘子、控制保护系统等辅助设备的装置,简称可控串补。

2.0.4 串补平台　SC platform

对地保证足够绝缘水平的结构平台,用来支撑串补装置相关设备。

2.0.5 金属氧化物限压器(MOV)　metal-oxide varistor

由电阻值与电压呈非线性关系的电阻组成的电容器过电压保护设备,简称限压器。

2.0.6 火花间隙(GAP)　spark gap

在规定时间内承载被保护部分的负载电流或故障电流,以防止电容器过电压,或金属氧化物限压器过负荷的受控触发间隙或间隙系统。

2.0.7 阻尼装置 damping device

用来限制电容器组保护设备旁路操作时产生的电容器放电电流的幅值和频率,并使之快速衰减的设备。一般包括阻尼电抗器和阻尼电阻器等。

2.0.8 光纤柱 optical fiber column

用于串补平台上有关设备与地面的测量、控制、保护设备之间的通信,以及光能量传输的设备。

2.0.9 晶闸管阀 thyristor valve

晶闸管级的电气和机械联合体,配有连接、辅助部件和机械结构,可与晶闸管阀控电抗器串联。

2.0.10 晶闸管阀控电抗器 thyristor-controlled reactor

与晶闸管阀串联的电抗器,通过控制晶闸管阀的触发角使其等效感抗连续变化,实现晶闸管控制串联电容器补偿装置等效电容的连续调节,简称阀控电抗器。

2.0.11 离子交换器 ion exchange equipment

使用离子交换树脂进行离子交换处理,除去水中离子态杂质的水处理装置。

2.0.12 去离子水 deionized water

除去盐类及部分硅酸和二氧化碳等的纯水,又称深度脱盐水。

2.0.13 绝缘水管 insulation water pipe

用于给串补平台上晶闸管阀室中的晶闸管等元器件提供冷却水的通道,一般采用有机复合绝缘材料。

3 基本规定

3.0.1 串补装置各部件的安装应按已批准的设计图纸和产品技术文件进行。

3.0.2 设备及器材的运输、装卸及保管,应符合本规范和产品技术文件的要求。制造厂有特殊规定时,应按制造厂的规定执行。

3.0.3 设备及器材应有铭牌、安装使用说明书、出厂试验报告及合格证件等资料。

3.0.4 设备及器材到达现场后应及时进行检查,并应符合下列规定:

1 包装及密封良好;

2 开箱检查并清点,规格应符合设计要求,附件、备件应齐全;

3 产品技术文件齐全;

4 按本规范第 4.1.1 条的规定做外观检查。

3.0.5 施工前应编制施工方案。所编制的施工方案应符合本规范及产品技术文件的要求。

3.0.6 与串补装置安装有关的建筑工程应符合下列规定:

1 符合设计及设备的要求。

2 与设备安装有关的建筑工程质量,应符合现行国家标准《建筑工程施工质量验收统一标准》GB 50300 的有关规定。

3 设备安装前,建筑工程应具备下列条件:

  1)屋顶、楼板应施工完毕,不得渗漏;

  2)室内地面、门窗、墙壁等应施工完毕,并应符合设计要求,对有特殊要求的设备,所有装饰工作应全部结束;

  3)设备基础、沟道、预埋件、预埋管、预留孔(洞)应施工完

毕,并应符合设计要求,沟道内应无积水、杂物;

　　4)对设备安装有影响的采暖通风、照明、给排水等应施工完毕,并应符合设计要求。

3.0.7 设备安装使用的紧固件应采用镀锌制品或不锈钢制品;户外用的紧固件和外露地脚螺栓应采用热浸镀锌制品。

3.0.8 绝缘子安装前应进行检查、配组。瓷件应无裂纹、破损,金属法兰应无锈蚀、无外伤或铸造砂眼。瓷件与金属法兰胶装部位应牢固密实,并涂以性能良好的防水胶。法兰结合面应平整,无外伤或铸造砂眼。瓷瓶垂直度应符合现行国家标准《标称电压高于1000V系统用户内和户外支柱绝缘子 第1部分:瓷或玻璃绝缘子的试验》GB/T 8287.1 的要求。

3.0.9 串补装置中各高压电器设备及部件、控制保护系统等的交接试验应符合现行国家标准《电气装置安装工程 电气设备交接试验标准》GB 50150 及产品技术文件的有关规定。

3.0.10 串补平台上母线的施工及验收应符合现行国家标准《电气装置安装工程 母线装置施工及验收规范》GB 50149 的规定,以及设计、产品技术文件的有关规定。

3.0.11 设备吊装严禁在雨雪天气、六级及以上大风中进行。

4 串补平台

4.1 安装前检查

4.1.1 现场设备开箱检查应符合下列要求：

1 镀锌构件、附件外观检查应无损伤变形，镀锌层应完好，无锈蚀、无脱落，色泽一致。构件的外形尺寸、螺栓孔及位置、连接件位置等应符合设计要求。

2 斜拉复合绝缘子应胶装紧密，无脱胶、漏胶，与端部金具连接牢固，伞裙应无破损。

3 球节点的球窝、球头表面应无明显波纹，其局部凹凸不平不应大于1.5mm，应无锌瘤、锌渣及尖角毛刺。

4.1.2 基础定位轴线应符合下列要求：

1 单个平台基础轴线偏差不应大于5mm。

2 单个基础地脚螺栓间距偏差不应大于2mm，高度偏差不应大于2mm。

4.1.3 主梁连接螺栓为高强度螺栓时，应按现行国家标准《钢结构工程施工质量验收规范》GB 50205的规定进行高强度螺栓连接摩擦面的抗滑移系数试验和复验。

4.2 串补平台绝缘子的安装与调整

4.2.1 绝缘子底座安装应符合下列要求：

1 单相平台的下球节点安装高度应符合设计要求，相邻球节点水平偏差不应大于2mm，单相平台最大偏差不应大于5mm；轴线偏差不应大于5mm。

2 斜拉绝缘子底座的水平偏差不应大于20mm，轴线偏差不应大于10mm。

4.2.2 支柱绝缘子安装过程中应对瓷件采取保护措施。

4.2.3 安装好的支柱绝缘子弯曲矢量不应大于10mm。

4.2.4 安装好的支柱绝缘子垂直度偏差不应大于10mm。

4.2.5 各绝缘子顶部中心间距和对应的基础标称值偏差不应大于5mm。

4.2.6 调整后各绝缘子间水平高度偏差不应大于2mm。

4.3 串补平台的组装

4.3.1 安装主梁并接节点及主次梁并接节点时,高强度螺栓在初拧及终拧时应按照由螺栓群中央向外逐步拧紧的顺序进行。

4.3.2 应保持主梁连接呈直线,连接后检查主梁弯曲矢高不应大于10mm,长度偏差不应大于2mm。

4.3.3 次梁应按照产品安装图编号进行安装,安装同一平台的次梁,其间距误差不应大于2mm。

4.3.4 主梁对接螺栓力矩值全部达到要求后方可进行次梁螺栓紧固。

4.3.5 主梁上相邻球节点球头间距偏差不应大于2mm,累计间距偏差不应大于10mm。

4.3.6 平台组装后检查平台对角线长度应满足产品技术文件的要求。

4.3.7 平台格栅应固定平整、牢固。

4.3.8 平台组装后,螺栓紧固力矩应符合制造厂技术文件的要求。制造厂未提供紧固力矩时,应符合现行国家标准《钢结构工程施工质量验收规范》GB 50205 的有关规定。

4.4 串补平台的吊装与调整

4.4.1 平台吊装方式及吊点的选择应考虑串补平台的受力均衡和变形量的控制。

4.4.2 应根据吊装重量、吊点和吊绳夹角选择索具,并应根据起吊高度、幅度和吊重选择起重机械。

4.4.3 吊装前应检查起重机操作性能,确认安全装置、刹车装置、报警装置的动作反应性能是否正常、可靠。各部分应运行平稳、无异音、无卡阻、操作灵活。

4.4.4 起吊过程应平稳,应设置缆风绳,起重过程中不应出现摆动现象。

4.4.5 球头与球窝必须完全接触后方可安装和调整斜拉绝缘子;在斜拉绝缘子安装和调整时,吊绳必须始终处于受力状态,缆风绳必须临时固定并设专人监护;调整完毕后方可松下缆风绳及吊绳。

4.4.6 斜拉绝缘子调整应成对进行。

4.4.7 调整完成后,阻尼弹簧伸长量应符合技术文件的规定,支柱绝缘子最大垂直偏差不应大于20mm。

4.5 串补平台附件的安装

4.5.1 平台护栏安装时应采取保护措施,表面应光洁、无毛刺。

4.5.2 平台护栏门应固定牢固,自锁灵活。

5 电气设备安装

5.1 一般规定

5.1.1 平台上的电气设备安装应在平台稳定后进行。
5.1.2 各绝缘子顶部中心间距和对应的安装基础标称值偏差不应大于5mm。
5.1.3 调整后各绝缘子间水平高度误差不应超过2mm。
5.1.4 平台上设备的吊装方式应符合产品技术文件要求。
5.1.5 设备铭牌宜位于易于观察的一侧。

5.2 电容器

5.2.1 电容器在运输和装卸过程中不得倒置、倾翻、碰撞和受到剧烈的震动。制造厂有特殊规定时，应按制造厂的规定装运。
5.2.2 电容器安装前应对其套管和外壳进行检查。套管接线端子应无弯曲、滑扣，外壳应无变形、锈蚀，不应有裂缝或渗油。
5.2.3 电容器安装前应测量每台电容器的电容量，电容量差值应符合技术条件的要求。
5.2.4 电容器组的安装应符合下列要求：
　　1 按照制造厂的产品安装要求对电容器进行配组。
　　2 电容器组接线应正确、连贯。端子连线应对称一致，不应利用电容器端子线夹作为连接线的续接金具。
　　3 电容器套管不应受额外应力，端子紧固力矩应满足技术要求。
　　4 每台电容器外壳均应与电容器支架一起可靠地连接到规定的等电位点。
　　5 电容器铭牌应面向通道一侧，并有顺序编号。

6 电容器组及其各桥臂或不平衡支路之间的电容量差值应符合技术条件的要求。

5.3 金属氧化物限压器

5.3.1 限压器安装前，应取下运输时用于保护限压器防爆膜的防护罩，防爆膜应完好无损。

5.3.2 限压器应按技术文件或铭牌标识进行编组安装；安装过程中防爆膜不应受损伤。

5.3.3 限压器就位时应统一喷口的朝向，且符合设计要求。

5.4 火花间隙

5.4.1 火花间隙应在制造厂技术人员指导下进行组装调整。

5.4.2 火花间隙外壳应焊接牢固、无变形、无损伤，防昆虫网体应完好。

5.4.3 火花间隙的安装与调整应符合产品技术文件的要求，并应符合下列规定：

1 间隙外壳应垂直，其重量应均匀地分配在所有支柱绝缘子上；

2 各部件和设备连线应规范、正确、牢固，所有螺栓紧固力矩均应符合产品技术文件要求；

3 各间隙的石墨电极或铜电极、屏蔽件，以及触发回路元器件应外观良好、无损伤；

4 各间隙距离测量值应符合设计及产品技术文件的要求。

5.5 阻尼装置

5.5.1 阻尼电阻器应按产品技术文件的要求进行上下叠装。

5.5.2 阻尼电抗器的安装应按照现行国家标准《电气装置安装工程　高压电器施工及验收规范》GB 50147 的有关规定执行。

5.6 光 纤 柱

5.6.1 光纤柱的安装应符合下列要求：
 1 安装过程中应对光纤柱的绝缘子伞裙采取保护措施；
 2 光纤柱应悬挂正确，弹簧调整稳固，受力匀称，柱体应无明显摆动现象；
 3 光纤柱的光纤不应受外力，且弯曲半径应满足要求；
 4 光纤柱的等电位连接导体应可靠连接。

5.6.2 光纤的连接应符合下列要求：
 1 光纤柱的光纤转接箱内应清洁，端子固定牢固；
 2 光纤柱的光纤连接应正确，且衰减值应满足现行国家标准《光纤总规范》GB/T 15972 的有关规定。

5.7 电流互感器、旁路开关及隔离开关

5.7.1 电流互感器、旁路开关及隔离开关的施工及验收应按照现行国家标准《电气装置安装工程 高压电器施工及验收规范》GB 50147 的有关规定执行。

5.8 控制保护系统

5.8.1 平台测量箱、控制保护小室及其内设屏柜的安装及接线应按照现行国家标准《电气装置安装工程 盘、柜及二次回路结线施工及验收规范》GB 50171 的有关规定执行。

5.8.2 平台上二次电缆应采取屏蔽保护措施，且应连接牢固、密封良好。

5.8.3 光纤的敷设应符合设计要求，其弯曲半径、拉伸力、接续及性能测试应符合现行国家标准《光纤总规范》GB/T 15972 的有关规定。

6 可控串补相关设备的安装

6.1 阀控电抗器

6.1.1 阀控电抗器的施工及验收应符合现行国家标准《电气装置安装工程 高压电器施工及验收规范》GB 50147 的规定及设计、产品技术文件的有关规定。

6.2 晶闸管阀室

6.2.1 阀室应连同运输加固附件整体吊装,安装完毕后应拆除加固件。

6.2.2 阀室高低压套管、通风窗等附件应在阀室吊装完成后进行安装。

6.2.3 阀室安装后应进行内部检查,且应符合下列规定:
   1 晶闸管阀固定架应安装良好,各设备无移位;
   2 阀体及辅助部分的电气连接应紧固,固定晶闸管阀组的弹簧受力应符合产品技术文件的要求。

6.3 分 压 器

6.3.1 分压器应垂直安装,其顶部的接线端子与高压引线连接应可靠且无额外应力。

6.3.2 专用电缆与分压器、数据采集箱内接线端子应连接正确、牢固。

6.3.3 电缆应采取屏蔽保护措施,且应与分压器底座、数据采集箱连接牢固可靠。

6.4 水 冷 系 统

6.4.1 冷却设备安装应符合下列规定:

1 设备各单元组合体底座安装轴线应符合设计要求,底座与基础应固定牢固,接地可靠;

2 循环泵应在有介质的情况下进行试运转,试运转的介质或代用介质均应符合产品的技术规定;

3 离子交换器、过滤器、除氧装置、检测仪表的安装应符合产品的技术规定,氮气压力应符合产品的技术规定;

4 风冷设备支架垂直度不应大于支架高度的1.5‰,散热器安装的水平度偏差不应大于1mm/m;

5 风机的转向应正确,转速应符合产品的技术规定。

6.4.2 绝缘水管的安装应符合下列要求:

1 水管上下两端的等电位引线应可靠连接;

2 水管两端的连接端头与循环水管道的端头应可靠连接;

3 悬挂式水管下端防风偏装置拉力应符合产品技术文件的要求。

6.4.3 管道的安装应符合下列要求:

1 管道包装封盖应严密,安装过程中打开时应减少管道内部露空时间,应按照产品的技术规定清洗冷却管道内壁,确保内壁洁净。

2 管道支、吊架位置应正确,间距应符合设计要求,安装应平整、牢固。

3 水冷管道之间宜采用法兰连接;法兰连接应与管道同心且法兰间应保持平行,其偏差不应大于法兰外径的1.5‰,且不应大于2mm,不应用法兰螺栓强行连接;管道安装后,管道、阀门不应承受额外应力。

4 管道法兰密封面应无损伤,密封圈应安装正确,连接严密、无渗漏。密封胶的使用应符合产品的技术规定。

5 穿墙及过楼板的管道应加套管进行保护,套管应露出墙面或地面,且露出长度大于50mm,管道与套管间隙宜采用阻燃软质材料填塞。

6 管道安装后各支、吊架受力应均匀,无明显变形,应与管道接触紧密。

7 管道接地应可靠,管道法兰间应采用跨接线连接,截面积不应小于16mm²且应符合产品的技术规定。

6.4.4 注入冷却系统的水应为去离子水,其电导率应符合产品的技术规定。如果无技术规定,去离子水的电导率不应大于0.2μs/cm。

6.4.5 运行环境温度低于5℃时,应按设计要求采用防冻结冷却介质。

6.4.6 冷却系统的供电电源应符合设计要求,双电源应能实现自动切换,水泵及备用水泵应投切正常。

6.4.7 冷却设备、管道和阀体冷却水管安装完毕,外观检查合格后,应对冷却管路进行整体密封试验。试验压力及持续时间应符合产品的技术规定,管路系统应无渗漏。

7 工程交接验收

7.0.1 工程交接验收时应符合下列要求：

1 设备的型号、规格应符合设计要求；

2 设备外观检查应完好且无渗漏，安装方式应符合产品技术文件的要求；

3 设备安装应牢固、垂直、平整，且应符合设计及产品技术文件的要求；

4 限压器的排气通道应通畅；

5 冷却系统安装应符合设计要求，水冷系统应无渗漏；

6 电气连接应正确、可靠且接触良好，螺栓连接的导线应无松动，接线端子压接应牢固无开裂，焊接连接的导线应无脱焊、虚焊；

7 电缆、光纤防护应完好，屏柜、电缆管道应做好封堵；

8 平台及支架的防腐应完好、色泽一致，相位标识正确；

9 接地应符合现行国家标准《电气装置安装工程 接地装置施工及验收规范》GB 50169 的有关规定；

10 设备安装及全部电气试验应已合格，操作、联动信号应正确；

11 串补平台周围保护性围栏、网门、栏杆及爬梯等安全设施应齐全，且闭锁正确；

12 临时接地线或装置应已拆除，现场应已清理干净，周边环境应已恢复；

13 备品备件应移交完毕。

7.0.2 验收时应提交下列资料和文件：

1 电气设备安装记录验评资料、试验报告；

2 工程联系单、设计变更通知单；
3 设备清单、出厂合格证、试验记录、报告和说明书；
4 备品、备件、测试仪器及专用工具清单。

本规范用词说明

1 为便于在执行本规范条文时区别对待,对要求严格程度不同的用词说明如下:
　　1)表示很严格,非这样做不可的:
　　　　正面词采用"必须",反面词采用"严禁";
　　2)表示严格,在正常情况下均应这样做的:
　　　　正面词采用"应",反面词采用"不应"或"不得";
　　3)表示允许稍有选择,在条件许可时首先应这样做的:
　　　　正面词采用"宜",反面词采用"不宜";
　　4)表示有选择,在一定条件下可以这样做的,采用"可"。
2 条文中指明应按其他有关标准执行的写法为:"应符合……的规定"或"应按……执行"。

引用标准名录

《电气装置安装工程 高压电器施工及验收规范》GB 50147
《电气装置安装工程 母线装置施工及验收规范》GB 50149
《电气装置安装工程 电气设备交接试验标准》GB 50150
《电气装置安装工程 接地装置施工及验收规范》GB 50169
《电气装置安装工程 盘、柜及二次回路结线施工及验收规范》GB 50171
《钢结构工程施工质量验收规范》GB 50205
《建筑工程施工质量验收统一标准》GB 50300
《标称电压高于1000V系统用户内和户外支柱绝缘子 第1部分:瓷或玻璃绝缘子的试验》GB/T 8287.1
《光纤总规范》GB/T 15972

中华人民共和国国家标准

电气装置安装工程
串联电容器补偿装置施工及验收规范

GB 51049-2014

条文说明

制订说明

《电气装置安装工程 串联电容器补偿装置施工及验收规范》GB 51049—2014,经住房城乡建设部 2014 年 12 月 2 日以第 642 号公告批准发布。

本规范制定过程中,编制组进行了充分的调查研究,总结了我国工程建设串联电容器补偿装置安装工程施工及验收的实践经验,同时参考了国外先进技术法规、技术标准。

为了广大设计、施工、科研、学校等单位有关人员在使用本规范时能正确理解和执行条文规定,《电气装置安装工程 串联电容器补偿装置施工及验收规范》编制组按章、节、条顺序编制了本规范的条文说明,对条文规定的目的、依据以及执行中需注意的有关事项进行了说明,还着重对强制性条文的强制性理由作了说明。但是,本条文说明不具备与规范正文同等的法律效力,仅供使用者作为理解和把握规范规定的参考。

目 次

1 总 则 …………………………………………………（25）
2 术 语 …………………………………………………（26）
3 基本规定 ………………………………………………（27）
4 串补平台 ………………………………………………（28）
   4.1 安装前检查 …………………………………………（28）
   4.3 串补平台的组装 ……………………………………（28）
   4.4 串补平台的吊装与调整 ……………………………（28）
5 电气设备安装 …………………………………………（29）
   5.2 电容器 ………………………………………………（29）
   5.3 金属氧化物限压器 …………………………………（29）
   5.4 火花间隙 ……………………………………………（29）
   5.6 光纤柱 ………………………………………………（29）
   5.8 控制保护系统 ………………………………………（30）
6 可控串补相关设备的安装 ……………………………（31）
   6.2 晶闸管阀室 …………………………………………（31）
   6.3 分压器 ………………………………………………（31）
   6.4 水冷系统 ……………………………………………（31）
   工程交接验收 …………………………………………（32）

1 总　　则

1.0.2 本条明确了本规范适用的范围。串联电容器补偿装置的应用范围广泛,目前在交流 220kV 和 500kV 电压等级已经得到广泛应用,且结构、原理均类似。750kV 电压等级的串补装置虽然在我国还没有投运,但它属于超高压等级,所以也将其纳入到了本规范的适用范围。

2 术 语

本规范的术语及其定义的主要依据是现行国家标准《电工术语 基本术语》GB/T 2900.1、《电工名词术语 避雷器》GB/T 2900.12、《电工术语 电力电容器》GB/T 2900.16、《电工术语 高压开关设备》GB/T 2900.20、《电力系统用串联电容器》GB/T 6115 等标准。

3 基本规定

3.0.1 按设计及产品技术文件进行施工是现场施工的基本要求。

3.0.2 由于串补相关设备的特殊性,运输和保管按制造厂产品技术文件进行是必要的。

3.0.3 设备、器材不得使用淘汰及高耗能的产品,新产品应经鉴定合格方可使用。

3.0.4 设备到货后开箱检查前,首先检查外包装。开箱检查时,强调检查铭牌,核实型号、规格是否符合设计要求,检查设备有无损伤、腐蚀、受潮,清点附件、备件、专用工具的供应范围和数量是否符合合同要求。

对各制造厂提供的技术文件没有统一规定,可按各厂家规定及合同协议要求执行。

3.0.5 串补装置施工应遵守国家现行有关安全技术标准的规定。由于施工单位的装备和施工环境各不相同,在施工前,应结合现场的具体情况,事先制定切实可行的施工方案。

3.0.6 为加强管理,文明施工,避免现场施工混乱,本条规定了与串补装置安装有关的建筑工程的一些具体要求,以提高工程质量,避免损失,协调好建筑工程与安装的关系,这对串补装置安装工作的顺利进行,确保安装质量和设备安全是很必要的。

3.0.7 设备安装使用的紧固件,根据现有条件和市场供应情况,应采用镀锌或者不锈钢制品;户外用的紧固件和外露地脚螺栓应采用热浸镀锌制品。

3.0.11 本条列为强制性条文,必须严格执行。由于设备吊装过程直接涉及人身、设备的安全,为确保安全,禁止在恶劣天气情况下的吊装作业。

4 串补平台

4.1 安装前检查

4.1.1 串补平台是用来支撑串补装置相关设备的钢结构平台,需要保证对地有足够绝缘强度和机械强度。因此对组成串补平台的各部件提出了现场开箱检查的具体要求。

4.3 串补平台的组装

4.3.1 现行国家标准《钢结构工程施工质量验收规范》GB 50205中规定了高强度螺栓的操作要求。

4.4 串补平台的吊装与调整

4.4.5 本条规定了安装和调整斜拉绝缘子时的施工顺序及注意事项,此施工过程涉及人身安全,必须严格执行,因此本条列为强制性条文。

5 电气设备安装

5.2 电 容 器

本节中"电容器"一词用于不强调电容器单元和与段结合在一起的电容器单元组的不同含义的场合。

5.2.2 本条对电容器安装前的外观检查作了规定。

5.2.3 本条规定了在电容器安装前测量其电容量,同时规定了成组安装的电容器的电容量差值应符合技术条件的要求。

5.2.4 本条规定了电容器组安装的要求。

5.3 金属氧化物限压器

5.3.1 限压器安装前应取下运输时用于保护限压器防爆膜的防护罩,同时检查防爆膜,确保防爆膜完好无损。

5.3.2 本条规定了限压器应严格按照技术文件进行编组安装,且安装过程中也要确保防爆膜不受损伤。因为防爆膜是限压器的最薄弱区,其好坏直接影响限压器的可靠性。

5.4 火花间隙

5.4.1 不同厂家提供的火花间隙并不相同,且火花间隙属于专用设备,因此应在制造厂技术人员指导下进行火花间隙的组装。

5.6 光纤柱

5.6.1 光纤柱在安装前需进行外观检查,在安装过程中注意保护绝缘子伞裙以及光纤,光纤的弯曲半径应满足要求,不能有折痕,因为弯曲半径过小会严重影响光纤的光传输性能。

5.8 控制保护系统

串补控制保护系统不仅包括二次设备,还包括在串补平台上的平台测量箱、控制保护小室及其内设屏柜等设备。

6 可控串补相关设备的安装

6.2 晶闸管阀室

6.2.1 本条规定了晶闸管阀室的吊装要求。为确保阀室的安装，要求阀室连同运输加固附件整体吊装，并在安装完毕后拆除加固件。

6.2.2 本条规定了阀室高低压套管、通风窗等附件的安装顺序，应在阀室吊装完成后安装。

6.2.3 本条规定了阀室安装后的内部检查项目。

6.3 分 压 器

6.3.3 本条规定了分压器二次输出电缆的保护措施。

6.4 水 冷 系 统

6.4.4 本条规定了注入冷却系统的水应为去离子水，不能使用冷却系统的离子交换器处理自来水作为冷却系统的水。

7 工程交接验收

7.0.1 本条明确规定了组织工程交接验收前应具备的基本条件。
7.0.2 本条明确规定了工程交接验收时应提交的资料和文件。